A Noemí, con amor.
Para Pablo, para que siga con el negocio
de las montañas, un valor seguro.

Premio Lazarillo 2009 al mejor álbum ilustrado. Formaban el jurado Aitziber
Alonso, Marta Chicote, Manuel Craneo y Rosa Mengual, y actuaban como
presidenta M. Jesús Gil y como secretaria Ana Cendán.

Esta obra ha sido publicada con una subvención de la Dirección General
de Libro, Archivos y Bibliotecas del Ministerio de Cultura para su préstamo
público en Bibliotecas Públicas, de acuerdo con lo previsto en el artículo
37.2 de la Ley de Propiedad Intelectual.

© Alberto Pérez Villaplana, 2009
© Dibujos: Jorge del Corral, 2009
© Algar Editorial, SL
  Polígon Industrial I
  46600 Alzira
Impresión: Fernando Gil

1ª edición: noviembre, 2010
ISBN: 978-84-9845-215-0
DL: V-3760-2010

Los fabricantes de Montañas

Alberto Pérez • Jorge del Corral

AlgaR
EDITORIAL

La historia que sigue es una historia tan
verdadera como antigua... ¿Cómo? –os
preguntaréis–. ¿Cómo sé que una historia tan antigua es
verdadera o me la acabo de inventar? Pues bien, si tan poco
os fiáis de mí, os lo diré: la historia la encontré en la biblioteca
del sabio Frestón, que como bien sabéis no contiene nada que
no sea verdadero. Dudar de mi historia sería como dudar de que el
hombre ha llegado a la Luna o, qué sé yo, como si dijerais que dos más
dos no son cuatro, sino ¡cinco o seis!

Por lo tanto, dudar de mi palabra sería como si reconocierais, vosotros mismos, que sois unos «tontos ignorantes».

Como decía, me encontraba yo en la biblioteca de este ilustre encantador y estaba un tantico aburrido ya que, como imagináis, la mayor parte de los hechizos que figuran en sus volúmenes tratan acerca de la manera de convertir en oro el plomo, o la tierra o el aire o qué sé yo. Así que, aburrido, me puse a curiosear en un grueso volumen de historias, todas ellas verdaderas, como he dicho, donde encontré la auténtica historia de los fabricantes de montañas.

La historia comienza antes, mucho antes, de que los geógrafos cosieran los extremos del disco que fue la Tierra para formar la extraña pelota en la que vivimos hoy. En aquella época no era extraño toparse con fantásticas criaturas: unicornios, olifantes, dragones y, por supuesto, las más extraordinarias y grandiosas de todas, los gigantes.

Los gigantes son como tú y como yo, pero, claro está, multiplicando las proporciones por cien o por mil. Si alzan un brazo, cubren el sol; si dan un paso, saltan el mar; si se les cae un pelo, un enorme tronco cae del cielo; y cuando se sacuden la caspa, un alud cubre los valles vecinos.

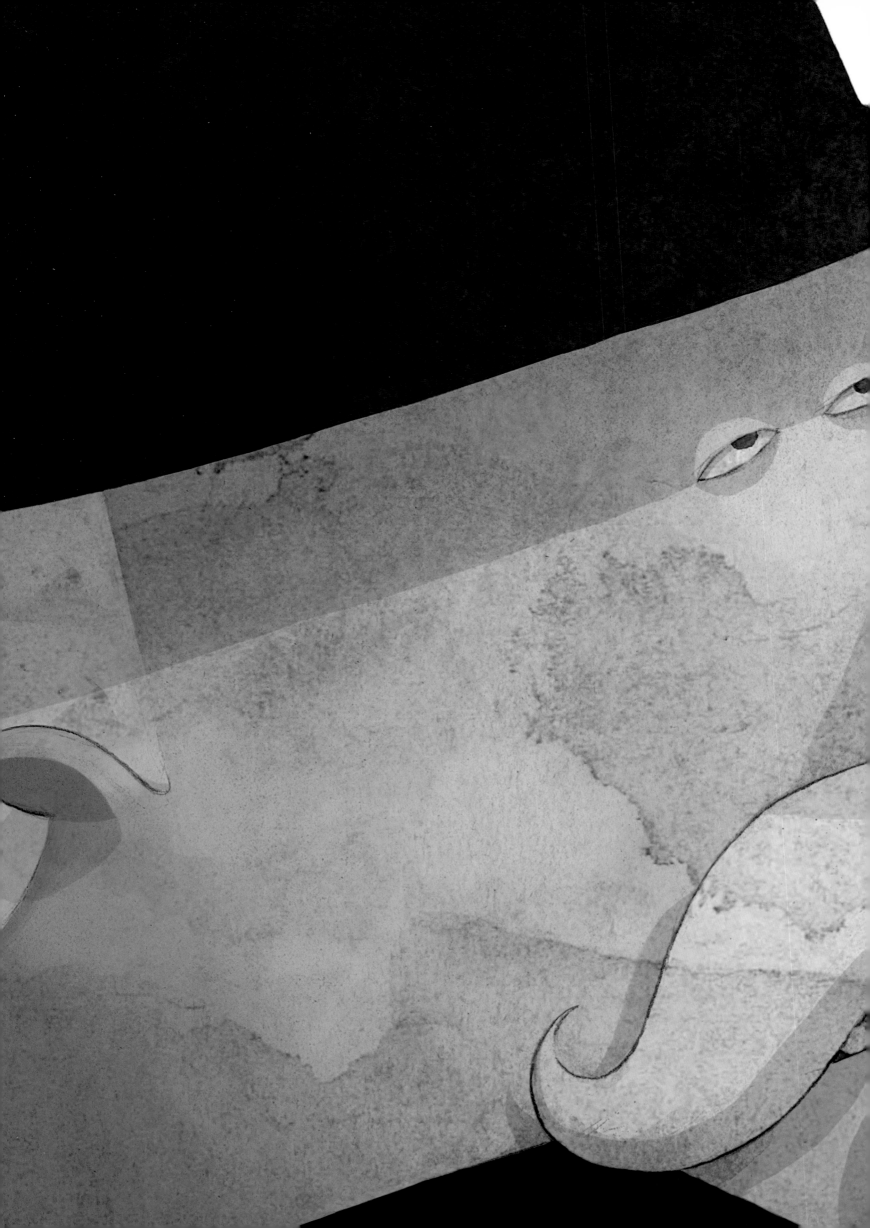

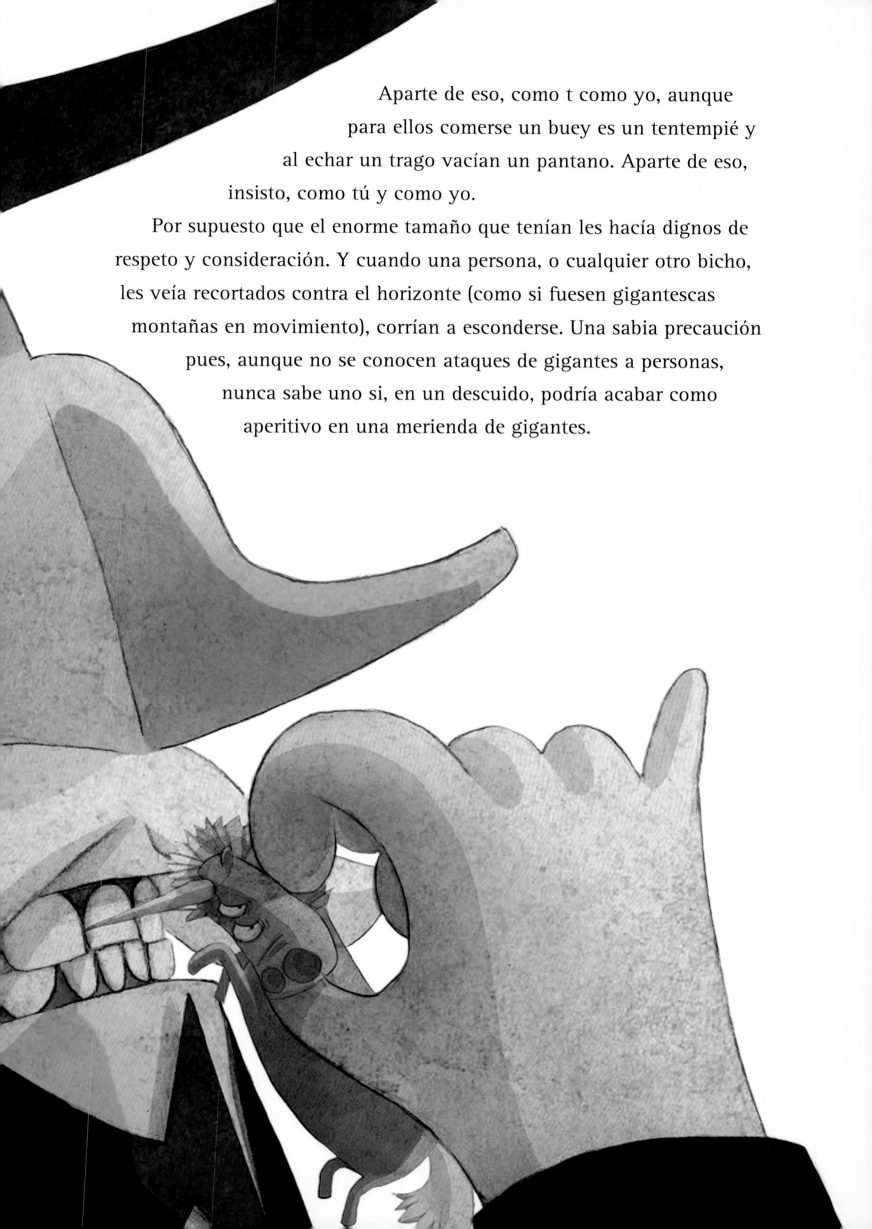

Aparte de eso, como t como yo, aunque
para ellos comerse un buey es un tentempié y
al echar un trago vacían un pantano. Aparte de eso,
insisto, como tú y como yo.

Por supuesto que el enorme tamaño que tenían les hacía dignos de
respeto y consideración. Y cuando una persona, o cualquier otro bicho,
les veía recortados contra el horizonte (como si fuesen gigantescas
montañas en movimiento), corrían a esconderse. Una sabia precaución
pues, aunque no se conocen ataques de gigantes a personas,
nunca sabe uno si, en un descuido, podría acabar como
aperitivo en una merienda de gigantes.

Pero, en fin, aquellos gigantes en concreto se mostraban pacíficos y tranquilos. Las pequeñas disputas con sus vecinos se debían a ruidos (por los vozarrones de los gigantes) o pisotones (un pisotón de gigante podía aplastar pueblos enteros). ¡Cualquiera se atrevía a enojarse con los gigantes!

Como todas las criaturas inteligentes que han existido, los gigantes trabajaban para vivir. Y si pensamos que merendaban bueyes y bebían pantanos enteros, ya imaginaremos que su trabajo debía de ser monumental, enorme, colosal... Y así era: fabricaban montañas.

¿Y a quién le podía interesar –os preguntaréis– una montaña o una cordillera? ¿Quién iba a comprar semejante cosa? Sin duda os creeréis muy listos porque vosotros jamás compraríais algo así pero, listillos, los reyes que en aquel entonces construían los países tenían mucho interés en adquirir montes y montañas, lagos y ríos, llanuras y valles; ¿no veis que aún estaba todo por hacer?

En efecto, bajo el encargo de tal o cual rey, rajá, emperador o mandarín, los gigantes construían colinas, montes, montañas o cordilleras enteras.

Para crear las montañas, golpeaban rítmicamente con enormes martillos las mismísimas entrañas de la Tierra, produciendo frecuentes terremotos. Por ello, los vecinos de los gigantes no construían casas, sino que vivían bajo los árboles (¡y no olvidéis además sus terribles pisotones!).

Una vez hechas sus montañas, las arrastraban por toda la faz de la Tierra hasta llevarlas a su destino tan lentamente como se desplazan los glaciares. A veces sucedía que, cuando los gigantes llegaban para instalar sus montañas, los herederos de quien las había encargado no sabían nada del encargo. Entonces se llevaban un susto monumental cuando, de un día para otro, el campo de fútbol que habían cuidado con tanto esmero aparecía en lo alto de un pico ¡a más de tres mil metros de altura!

Pero los ambiciosos reyes
que vivían en la vecindad
envidiaban la gran riqueza
que acumulaban los gigantes
tras tantos encargos (podéis
imaginar que crear una montaña de
la nada no es barato). Tres monarcas fueron los
insensatos que trataron de conquistar el reino de los gigantes.

El primero fue el Rey de Aragón, que al frente de sus tropas
trató de alcanzar aquellas altas cimas. El pequeño Ordel, que era
apenas un bebé gigante, le atizó tan tremenda patada en el trasero
al buen rey que tardó tres días en aterrizar. Su trasero quedó
para siempre aplanado por el golpe e impedido así para la guerra
(¿habéis visto que un rey vaya a la guerra sin caballo?). Tuvo que
dedicarse, pues, a otros menesteres, y llegó a ser un rey sabio,
bueno y pacífico.

El segundo que lo intentó fue el Rey de Francia, con sus caballeros, pues pensaba que, esclavizando a los gigantes, éstos formarían parte de sus ejércitos. Subió a un otero, trepó un cerro, escaló una montaña, alcanzó el collado y, cuando clavó su bandera en la más alta montaña, se dio cuenta de que era una nariz. En concreto, una nariz de gigante. El gigante, interrumpido en su siesta, con sólo un chasquido le arrojó a un manantial que alimentaba un barranco que desembocaba en un riachuelo que daba a un río que moría en el mar. Solo, a la orilla de este mar (no me preguntéis cuál, cualquiera sabe), le sacaron del agua con una caña. ¡Le tuvieron setenta y siete días al sol para que se secara! Y ya nunca más necesitó lavarse, lo cual, se mire como se mire, es una gran ventaja.

El tercer infeliz que trató de hacerse con el reino de los gigantes fue el califa moro Miramamolín, que a lo largo de su vida había conquistado fértiles llanuras, desiertos devastados y hasta mares y riberas. Para completar su colección de reinos del mundo, sólo le faltaba el de los gigantes. Tomó, pues, la decisión de conquistar el reino de nuestros gigantes, y a ello se lanzó con un ejército de mil camellos.

Con gran ímpetu atravesó las fronteras, tomó los valles y se adentró en la capital de los gigantes. Pero Vicentín, el malandrín,

un niño gigante (conviene saber que la talla de Vicentín no era menor a la de cuatro ballenas haciendo el pino, una encima de la otra), le cogió de una babucha y, confundiendo al rey con un bichejo, le encerró en una jaula de insectos.

Y allí permaneció el califa incontables meses y años hasta que adelgazó tanto que pudo colarse entre los barrotes. Desde entonces, para evitar que se lo llevase la más leve brisa, tuvo que caminar con piedras en los bolsillos y se le quitaron para siempre las ganas de conquistar más reinos.

Tras esta última intentona, la gente empezó a perder interés por
los gigantes y sus montañas, y ya apenas se les veía empujando
con esfuerzo titánico sus montes. No es que a los gigantes les
hubieran asustado particularmente estos feroces asaltantes ¡ni
mucho menos! Pero parecía que habían acabado los viejos tiempos
en que los monarcas les encargaban impresionantes cordilleras
para cercar remotos reinos. Ahora los reyes preferían amplias
llanuras y enormes valles. Es más, se diría que casi les estorbaban
las viejas montañas que habían heredado de sus antepasados,

pues se dedicaban a agujerearlas para traspasarlas, y a pelar los
profundos bosques que las adornaban. ¿Con qué fin? Eso era
algo que los gigantes no podían ni imaginar. Lo cierto era que en
el despacho del capataz ya no se acumulaban los pedidos como
antaño. Parecía que el tiempo de los gigantes hubiese acabado...

Ellos, que nada sabían, se acostaron a dormir su siesta de siglos y, si os fijáis bien, veréis cómo destacan sus miembros y perfiles bajo las blancas sábanas de nieve que los cubren. Aunque algunos pobres ignorantes os digan que no son más que vulgares cordilleras o montes, sabréis que se trata, nada menos, que de los adormecidos gigantes.

Si alguna vez, tú y tus amigos, lográis reunir el fabuloso precio de una cordillera, tal vez (digo «tal vez» pues los gigantes son caprichosos) se despierten y en un par de milenios os fabriquen, para vosotros solos, una estupenda montaña para que os perdáis en ella.

Y esta es la historia, poco conocida, de los fabricantes de montañas. Pero la biblioteca del sabio Frestón contiene muchas historias más, y quién sabe si un día os contaré otra de propina.

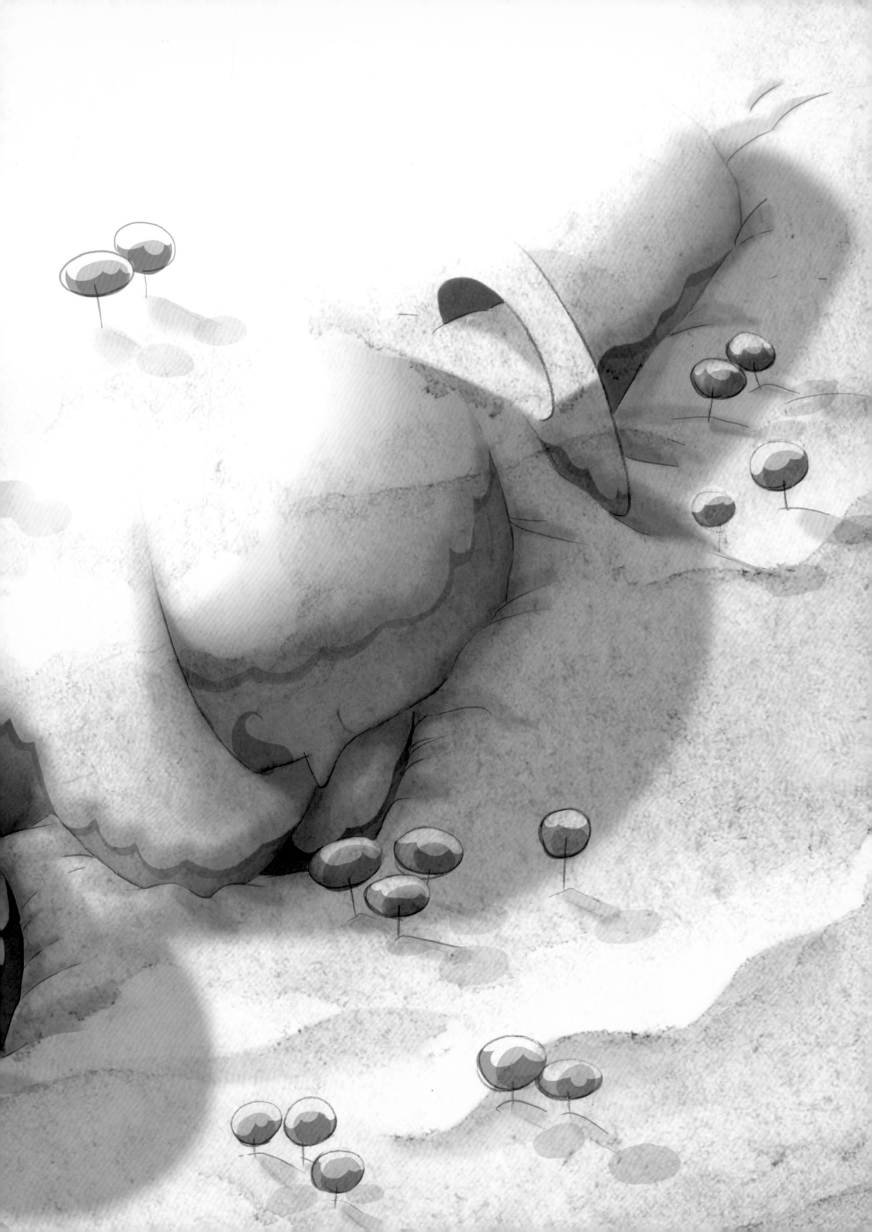